AZ
Street Atlas of
PETERBORO

G000167684

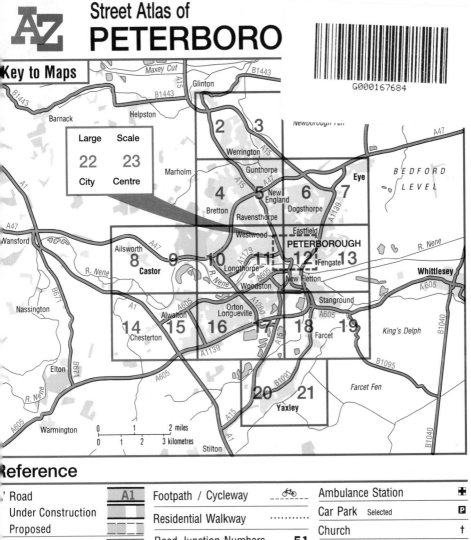

Key to Maps

	Large	Scale	
	22	23	
	City	Centre	

Reference

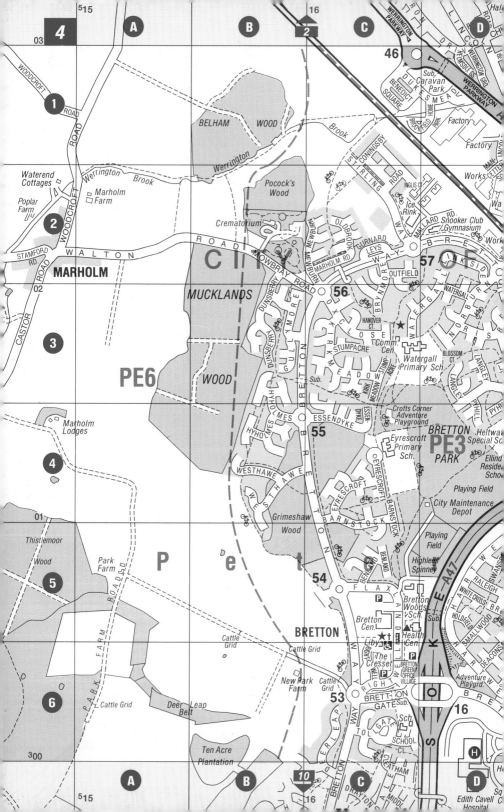

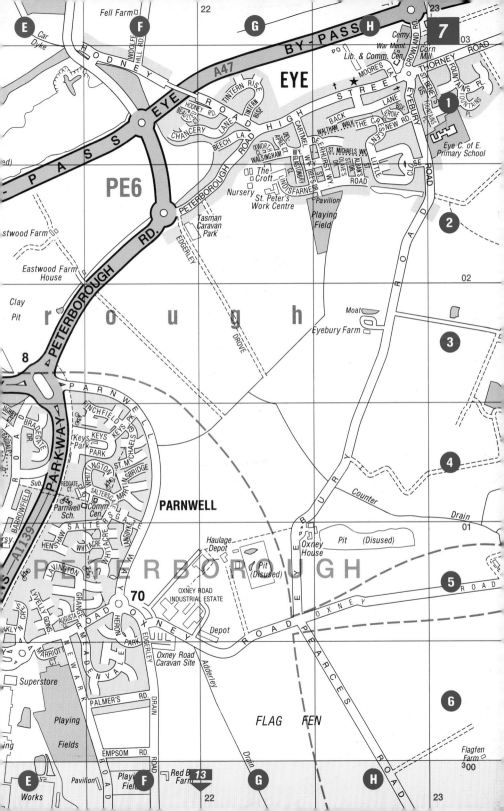

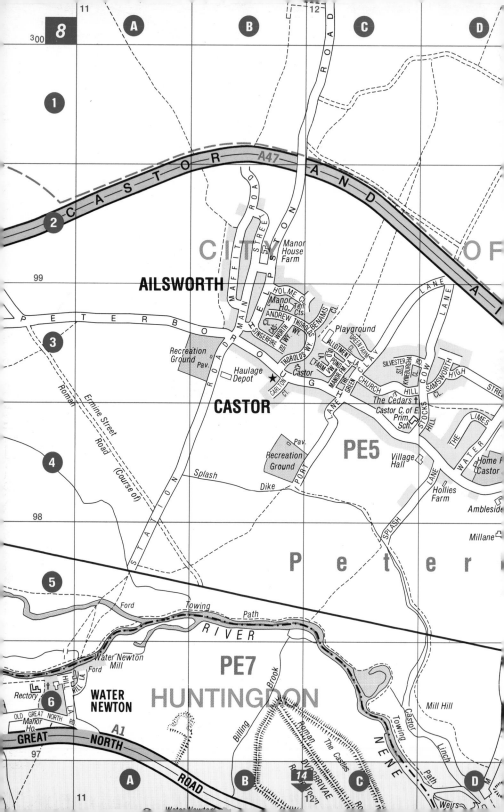

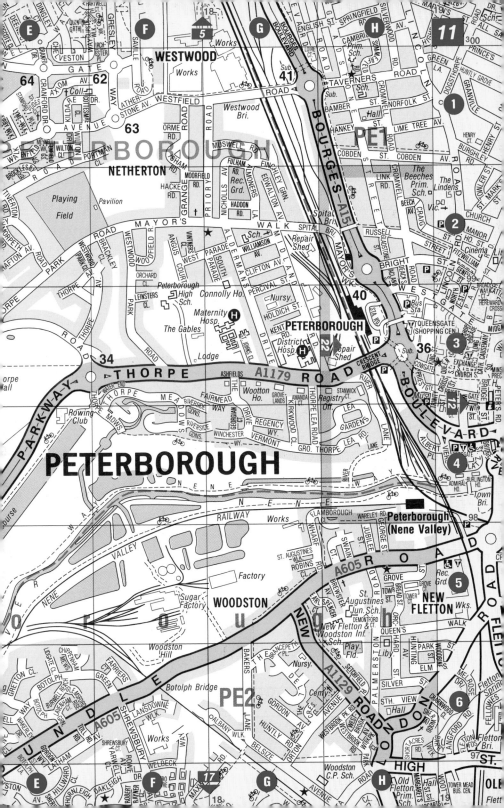

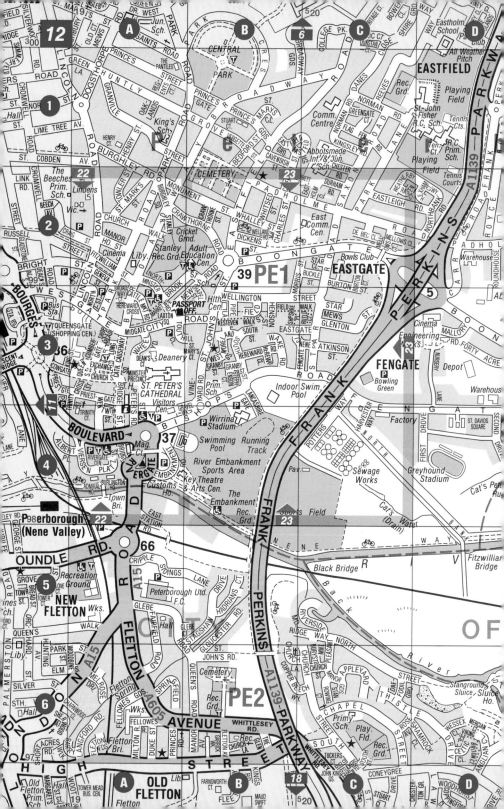

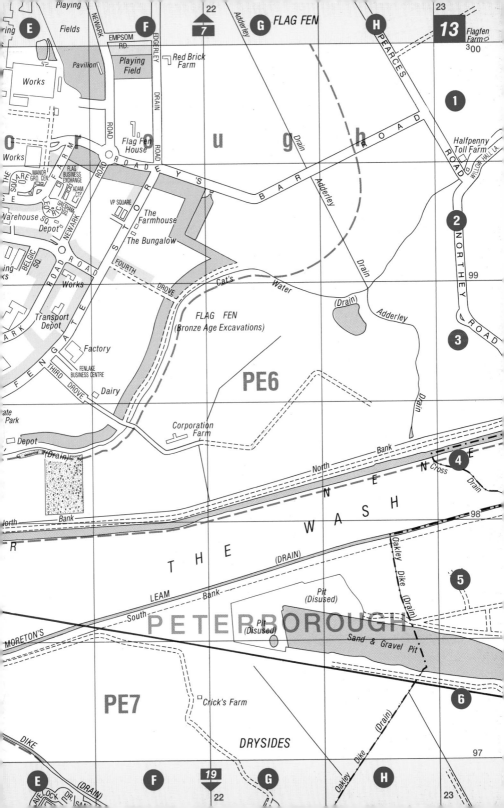

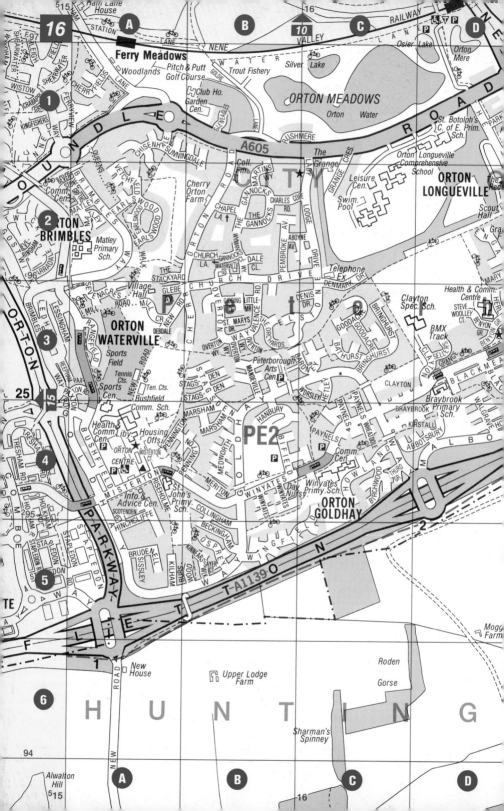

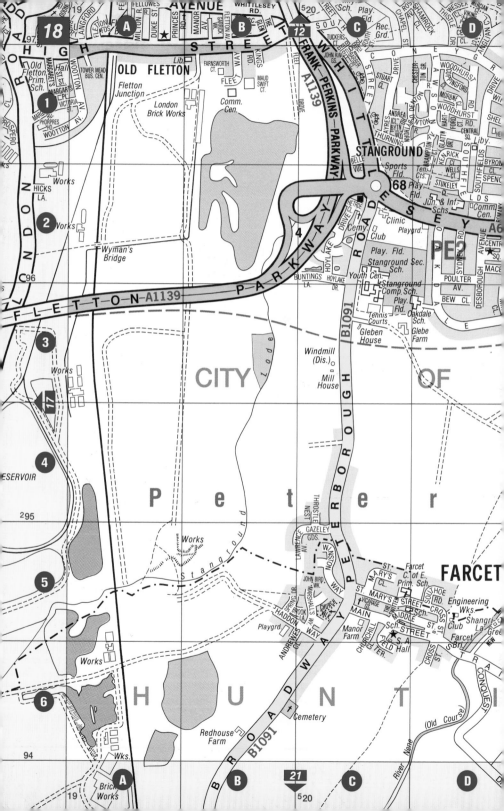

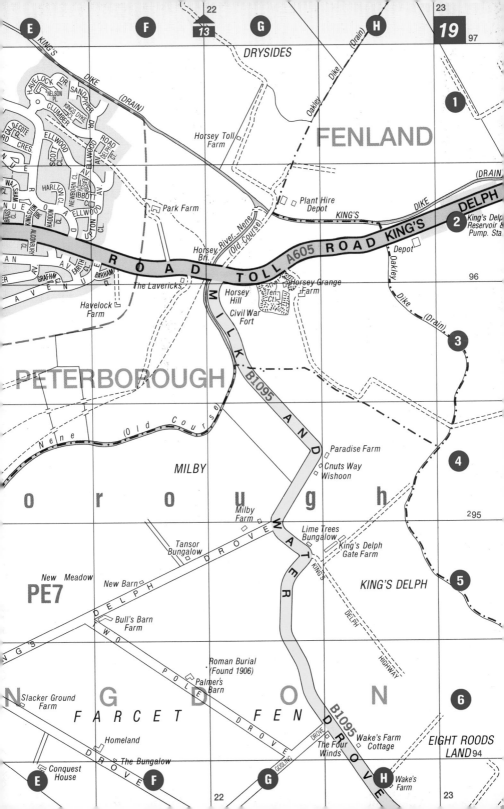

22   23

DRYSIDES

FENLAND

1

Horsey Toll
Farm

HAVELOCK DR.
SANDPIPER DR.
NELSON PL.
KING'S DYKE
DR.
CLUMBER
SCOTT CL.
ELLWOOD CL.
ELLWOOD
ROAD
DR.
CRES.
DECOTE
CAL
CL.
ELLWOOD
CL.
WALSHAM CL.
HARLTON CL.
NEWBORN CL.
IBBOT CL.
LINTON CL.
HADDON
KINGSTON
AV.
ALCONBURY
CL.
EARITH
GRAFHAM CL.
BARHAM CL.
BRASS
AVENUE
DIKE (DRAIN)

Park Farm

Plant Hire
Depot

KING'S

DIKE

DELPH

(DRAIN)

2   King's Delp
Reservoir &
Pump. Sta

ROAD   TOLL   A605   ROAD   KING'S

Depot

Horsey River Nene (Old Course)

Horsey
Bri.

Horsey Grange
Farm

The Lavericks

Horsey
Hill

Ten
Ct

Oakley

Dike

96

Havelock
Farm

Civil War
Fort

Dike

(Drain)

3

PETERBOROUGH

MILK

AND

Nene   (Old   Course)

B1095

4

Paradise Farm

Cnuts Way
Wishoon

295

MILBY

WATER

o   r   o   u   g   h

Milby
Farm

KING'S

Lime Trees
Bungalow

King's Delph
Gate Farm

Tansor
Bungalow

DROVE

New   Meadow

PE7

New Barn

DELPH

WOOD

Bull's Barn
Farm

KING'S DELPH

5

DELPH   Highway

Roman Burial
(Found 1906)

Palmer's
Barn

POLE

DROVE

N   G   D   O   N

6

Slacker Ground
Farm

N

FARCET   FEN

DELPH

Homeland

The Bungalow

Conquest
House

E   F   G

DROVE

GOSLING

B1095   DROVE

The Four
Winds

Wake's Farm
Cottage

EIGHT ROODS
LAND   94

Wake's
Farm

H

22   23

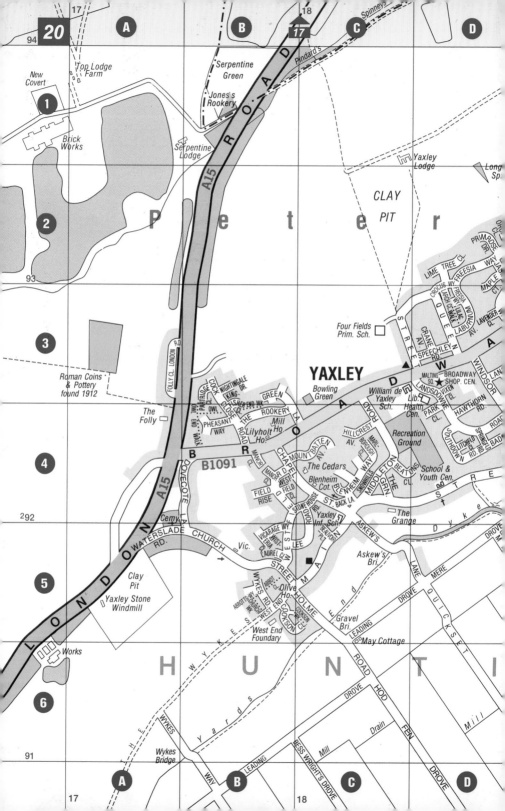

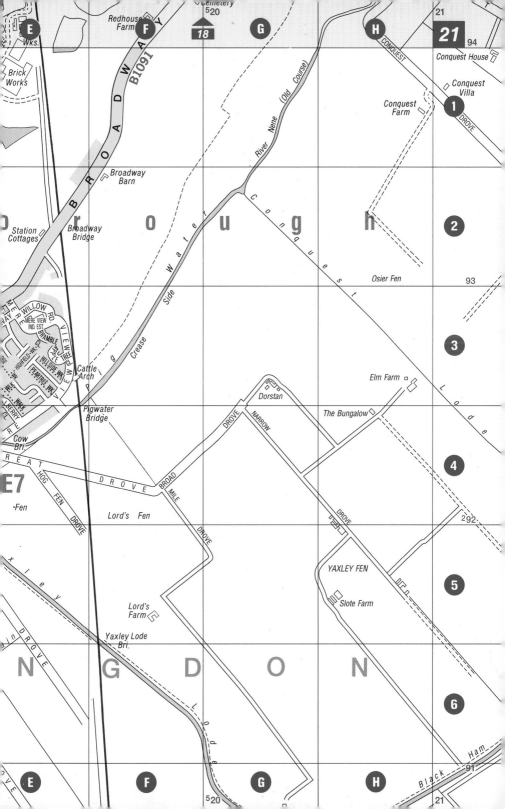

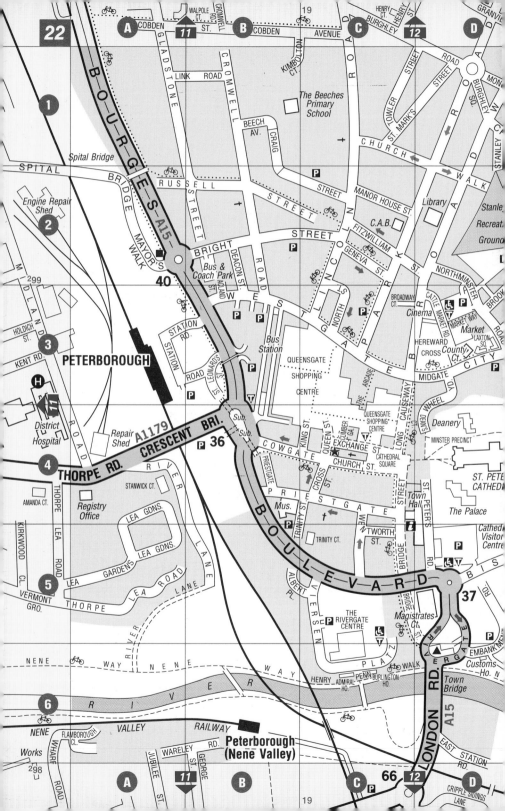

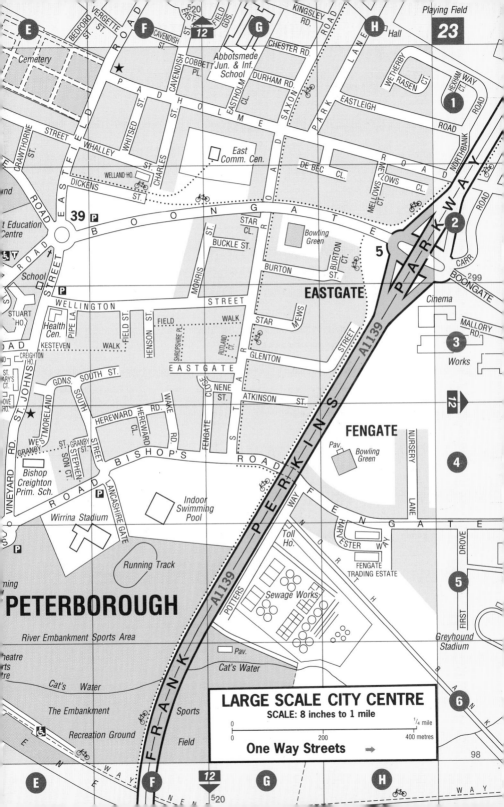

INDEX TO STREETS

HOW TO USE THIS INDEX

1. Each street name is followed by its Postal District and then by its map reference; e.g. Abbey Rd. Pet —2E **5** is in the Peterborough Posttown and is to be found in square 2E on page **5**.
A strict alphabetical order is followed in which Av., Rd., St., etc. (though abbreviated) are read in full and as part of the street name; e.g. Ash Rd. appears after Ashridge Wlk. but before Ashton Rd.

2. Streets and a selection of Subsidiary names not shown on the Maps, appear in the index in *Italics* with the thoroughfare to which it is connected shown in brackets; e.g. *Churchill Ho. Pet —4A **12** (5C **22**) (off Viersen Platz)*

3. The page references shown in brackets indicate those streets that appear on the large scale map pages 22 and 23; e.g. Acland St. Pet —2H **11** (3B **22**) appears in square 2H on page **11** and also appears in the large scale section in square 3B on page **22**.

4. With the now general usage of Postcodes for addressing mail, it is not recommended that this index is used for such a purpose.

GENERAL ABBREVIATIONS

All: Alley	Clo: Close	Ind: Industrial	Pl: Place
App: Approach	Comn: Common	Junct: Junction	Rd: Road
Arc: Arcade	Cotts: Cottages	La: Lane	S: South
Av: Avenue	Ct: Court	Lit: Little	Sq: Square
Bk: Back	Cres: Crescent	Lwr: Lower	Sta: Station
Boulevd: Boulevard	Dri: Drive	Mnr: Manor	St: Street
Bri: Bridge	E: East	Mans: Mansions	Ter: Terrace
B'way: Broadway	Embkmt: Embankment	Mkt: Market	Up: Upper
Bldgs: Buildings	Est: Estate	M: Mews	Vs: Villas
Bus: Business	Gdns: Gardens	Mt: Mount	Wlk: Walk
Cen: Centre	Ga: Gate	N: North	W: West
Chu: Church	Gt: Great	Pal: Palace	Yd: Yard
Chyd: Churchyard	Grn: Green	Pde: Parade	
Circ: Circle	Gro: Grove	Pk: Park	
Cir: Circus	Ho: House	Pas: Passage	

POSTTOWN AND POSTAL LOCALITY ABBREVIATIONS

Ail: Ailsworth	Help: Helpston	Ort G: Orton Goldhay	Stan: Stanground
Alw: Alwalton	King D: Kings Delph	Ort L: Orton Longueville	Thor: Thorney
Bret: Bretton	Long: Longthorpe	Ort M: Orton Malborne	Thor M: Thorpe Meadows
Cas: Castor	Lyn W: Lynch Wood	Ort S: Orton Southgate	Water: Waternewton
Ches: Chesterton	Mar: Marholm	Ort Wa: Orton Waterville	Wer: Werrington
Eye: Eye	Milk N: Milking Nook	Ort Wi: Orton Wistow	Whit: Whittlesey
Far: Farcet	Newb: Newborough	Parn: Parnwell	Wood: Woodston
Fen: Fengate	Old F: Old Fletton	Pea: Peakirk	Yax: Yaxley
Glin: Glinton	Ort B: Orton Brimbles	Pet: Peterborough	

INDEX TO STREETS

Abbey Rd. Pet —2E **5**
Abbot Clo. Yax —5B **20**
Abbotsbury. Ort M —4D **16**
Abbotts Gro. Pet —3D **2**
Abbotts Way. Yax —5B **20**
Aboyne Av. Ort Wa —2B **16**
Acacia Av. Pet —3B **6**
Acer Rd. Pet —5B **6**
Acland St. Pet —2H **11** (3B **22**)
Adam Ct. Pet —2E **13**
Adderley. Bret —4E **5**
Addington Way. Pet —6E **3**
Admiral Ho. Pet —4A **12** (6C **22**)
Ainsdale Dri. Pet —5D **2**
Airedale Clo. Pet —4A **6**
Albany Wlk. Pet —6G **11**
Albert Pl. Pet —4H **11** (5B **22**)
Alconbury Clo. Pet —2E **19**
Aldermans Dri. Pet —2G **11**
Aldsworth Clo. Pet —5D **6**
Alexandra Rd. Pet —5H **5**
Alfreds Way. Wer —5C **2**
Alfric Sq. Pet —1G **17**
Allan Av. Pet —2E **19**
Allen Rd. Pet —5G **5**
Allerton Garth. Alw —3E **15**
Allexton Gdns. Pet —4D **6**
Allotment La. Cas —3C **8**
All Saints Rd. Pet —6A **6**
Alma Rd. Pet —6H **5**
Almond Rd. Pet —4B **6**
Almoners La. Pet —2G **11**

Amanda Ct. Pet —3G **11**
Amberley Slope. Pet —6E **3**
Ambleside Gdns. Pet —6G **3**
Andrea Clo. Pet —1C **18**
Andrew Clo. Ail —3B **8**
Andrewes Clo. Far —6B **18**
Andrews Cres. Pet —1H **5**
Anglian Clo. Pet —6D **12**
Angus Ct. Pet —2F **11**
Anthony Clo. Pet —3H **5**
Apple Tree Clo. Yax —3E **21**
Appleyard. Pet —6C **12**
Apsley Way. Pet —3C **10**
Arbury Clo. Pet —2C **10**
Arcade, The. Pet —3C **22**
Artindale. Bret —2C **10**
Artis Ct. Bret —3C **8**
Arundel Rd. Pet —2E **5**
Ascot Dri. Pet —5B **6**
Ash Clo. Pet —4C **6**
Ash Ct. Pet —4C **6**
Ashcroft Gdns. Pet —6C **6**
Ashfields. Pet —3G **11**
Ashleigh. Ort Wi —1G **15**
Ash Pk. Wer —3D **2**
Ashridge Wlk. Yax —3E **21**
Ash Rd. Pet —4C **6**
Ashton Rd. Pet —6E **5**
Askew's La. Yax —5C **20**
Aster Dri. Pet —6F **3**
Atherstone Av. Pet —1D **10**
Atkinson St. Pet —3C **12** (3G **23**)

Auborn Gdns. Pet —2C **10**
Aubretia Av. Pet —6F **3**
Audley Ga. Pet —2D **10**
Augusta Clo. Pet —5E **7**
Avon Ct. Pet —1G **5**
Axiom Av. Pet —1E **11**
Ayres Dri. Pet —1C **18**
Azalea Clo. Pet —3C **10**
Azalea Ct. Yax —3D **20**

Back La. Eye —1H **7**
Back La. Yax —4C **20**
Bacon's Holme La. Pet —1B **6**
Bader Clo. Pet —5E **5**
Badger Clo. Yax —4D **20**
Bagley End. Pet —2B **6**
Bainton Rd. Milk N —1H **3**
Bakers La. Pet —6G **11**
Bakewell Rd. Ort S —5G **15**
Bala Ct. Pet —6F **3**
Balmoral Rd. Pet —3E **5**
Bamber St. Pet —1H **11**
Barber Clo. Stan —1C **18**
Barbers Hill. Pet —2D **2**
Bardney. Ort G —3C **16**
Barham Clo. Pet —2F **19**
Barkston Dri. Pet —5B **6**
Barnard Ct. Bret —2B **10**
Barnard Way. Bret —2B **10**
Barn Clo. Pet —6D **2**
Barnes Way. Pet —6D **2**

Barnoak Rd. Pet —2H **3**
Barnstock. Bret —4C **4**
Baron Ct. Pet —5F **3**
Barrowfield. Pet —4E **7**
Barry Wlk. Pet —6A **12**
Barton Clo. Pet —2H **5**
Bartram Ga. Pet —2G **5**
Basil Grn. Ort L —1E **17**
Bathurst. Ort G —3C **16**
Beatons Clo. Yax —4C **20**
Beaulieu Ct. Eye —1F **7**
Beauvale Gdns. Pet —6G **3**
Beauvoir Pl. Yax —5C **20**
Becketts Clo. Pet —3H **5**
Beckingham. Ort G —5B **16**
Bede Pl. Pet —5A **6**
Bedford St. Pet —1B **12**
Beech Av. Pet —2H **11** (1B **22**)
Beech La. Eye —1G **7**
Beech Rd. Glin —1A **2**
Beechwood Clo. Pet —4C **6**
Belgic Sq. Pet —2E **13**
Belham Rd. Pet —4G **5**
Belle Vue. Pet —1C **18**
Belsize Av. Pet —6G **11**
Belvoir Way. Pet —3C **6**
Benams Clo. Cas —3C **8**
Benedict Sq. Pet —1C **4**
Benland. Bret —5C **4**
Benyon Gro. Ort M —3D **13**
Berkeley Rd. Pet —2E **11**
Berry Ct. Pet —6G **5**

Bess Wright's Drove. Yax —6C **20**
Bettles Clo. Pet —5A **6**
Beverstone. Ort B —2H **15**
Bevishall. Pet —2H **5**
Bew Clo. Pet —3D **18**
Bickleigh Wlk. Pet —2C **10**
Bifield. Ort G —4B **16**
Birch Clo. Yax —4E **21**
Birchtree Av. Pet —4A **6**
Birchwood. Ort G —4C **16**
Birkdale Av. Pet —6E **3**
Bishops Clo. Pet —6D **6**
Bishopsfield. Pet —2F **5**
Bishop's Rd. Pet —4A **12** (5D **22**)
Blackdown Garth. Pet —6F **3**
Blackmead. Ort M —3D **16**
Blandford Gdns. Pet —4E **7**
Blenheim Way. Yax —4C **20**
Blind La. Bret —2B **10**
Blossom Ct. Bret —3D **4**
Bluebell Av. Pet —3A **6**
Bluebell Wlk. Pet —4A **10**
Bodesway. Ort M —3D **16**
Boongate. Pet —2B **12** (2F **23**)
Borrowdale Clo. Pet —6G **3**
Borthwick Pk. Ort Wi —1H **15**
Boswell Clo. Pet —3G **5**
Botolph Grn. Pet —6E **11**
Bourges Boulevd. Pet
—4F **5** (1A **22**)
Bower Clo. Pet —6C **6**
Bowness Way. Pet —1H **5**
Boxgrove Clo. Eye —1H **7**
Bozeat Way. Pet —5E **5**
Brackenwood. Ort Wi —1H **15**
Brackley Clo. Pet —2F **11**
Bradden St. Pet —5E **5**
Bradegate Dri. Pet —4E **7**
Bradwell Rd. Pet —3C **10**
Brailsford Clo. Bret —1B **10**
Bramall Ct. Pet —2D **10**
Bramble Clo. Yax —3E **21**
Brampton Ct. Pet —1D **18**
Brancepeth Pl. Pet —6G **11**
Branston Rise. Pet —4D **6**
Brassey Clo. Pet —5G **5**
Braybrook. Ort G —4C **16**
Bread St. Pet —5H **11**
Breamore Gdns. Pet —2D **10**
Brendon Garth. Pet —2G **5**
Bretton Ga. Bret —6C **4**
Bretton Grn. Office Village. R'well
—6C **4**
Bretton Ind. Area. Bret —3E **5**
Bretton Way. Bret —3B **10**
Brewerne. Ort M —3E **17**
Brewster Av. Pet —5H **11**
Briar Way. Pet —5E **5**
Bridgehill Rd. Newb —3G **3**
Bridge St. Pet —3A **12** (5C **22**)
Bright St. Pet —2H **11** (2B **22**)
Brigstock Ct. Pet —5E **5**
Brimbles. Ort B —2A **16**
Bringhurst. Ort G —3C **16**
Bristol Av. Pet —6D **2**
Briton Ct. Pet —6D **12**
Broad Clo. Pet —6D **6**
Broad Drove. Yax —4F **21**
Broadway. Pet —3A **12** (3C **22**)
Broadway. Yax —4B **20**
Broadway Ct. Pet —3A **12** (3C **22**)
Broadway Gdns. Pet —1B **12**
Broadway Shopping Cen. Yax
—3D **20**
Brocklesby Gdns. Pet —2E **11**
Brookfield Home Pk. Pet —1C **4**
Brookfurlong. Pet —5D **4**
Brook La. Far —5C **18**

Brookside. Pet —1F **5**
Brook St. Pet —3A **12** (3D **22**)
Broom Clo. Pet —3A **6**
Brotherhood Clo. Pet —3F **5**
Brownlow Rd. Pet —5A **6**
Brudenell. Ort G —5A **16**
Brynmore. Bret —3C **4**
Buckland Clo. Pet —1D **10**
Buckle St. Pet —2C **12** (2G **23**)
Buckminster Pl. Pet —4D **6**
Buntings La. Far —2C **18**
Burford Way. Pet —5D **6**
Burghley Rd. Pet —1A **12** (1C **22**)
Burghley Sq. Pet —2A **12** (1D **22**)
Burlington Ho. Pet
—4A **12** (6C **22**)
Burmer Rd. Pet —4G **5**
Burns Clo. Pet —4H **5**
Burswood. Ort G —5B **16**
Burton Ct. Pet —2C **12** (2H **23**)
Burton St. Pet —2C **12** (2G **23**)
Burwell Reach. Pet —6E **11**
Burystead. Stan —6C **12**
Bushfield. Ort G —5A **16**
Buttermere Pl. Pet —6G **3**
Byron Clo. Pet —1D **18**
Bythorn Rd. Pet —1C **18**
Bythorn Way. Pet —1C **18**

Caldbeck Clo. Pet —1H **5**
Caldecote Clo. Pet —1E **19**
Caldervale. Ort L —1E **17**
Cambrian Way. Pet —2G **5**
Cambridge Av. Pet —6H **5**
Camelia Clo. Pet —6F **3**
Campbell Dri. Pet —5G **3**
Campion Rd. Pet —3B **6**
Canonsfield. Pet —5C **2**
Canterbury Rd. Pet —6D **2**
Canwell. Pet —5E **3**
Cardinals Ga. Pet —5C **2**
Carisbrook Ct. Pet —5D **10**
Carleton Crest. Pet —2F **5**
Carl Hall Ct. Pet —3G **5**
Carlton Ct. Cas —3B **8**
Carradale. Ort B —2H **15**
Carron Dri. Pet —6C **2**
Carr Rd. Pet —2D **12**
Carters Clo. Bret —2B **10**
Cartmel Way. Eye —1G **7**
Caryer Clo. Ort L —1F **17**
Castor and Ailsworth By-Pass. Ail
—2A **8**
Castor Rd. Mar —1F **9**
Casworth Way. Ail —3B **8**
Cathedral Sq. Pet —3A **12** (4C **22**)
Catherine Clo. Pet —6E **11**
Cathwaite. Pet —2H **5**
Catley. Pet —2A **6**
Cattle Mkt. Rd. Pet
—3A **12** (3D **22**)
Cavell Clo. Pet —1D **10**
Cavendish St. Pet —1B **12** (1F **23**)
Caverstede Rd. Pet —2F **5**
Cecil Pacey Ct. Pet —4G **5**
Cecil Rd. Pet —5A **6**
Cedar Gro. Pet —3B **6**
Celta Rd. Pet —1H **17**
Celtic Clo. Pet —6D **12**
Central Av. Pet —5B **6**
Central Sq. Pet —1D **18**
(Lawson Av.)
Central Sq. Pet —2D **18**
(Whittlesey Rd.)
Cerris Rd. Pet —4B **6**
Chadburn. Pet —2A **6**
Chain Clo. Pet —5B **6**

Chancery La. Eye —1F **7**
Chantry Clo. Pet —6A **6**
Chapel La. Ort Wa —2B **16**
Chapel La. Wer —6E **2**
Chapel St. Pet —3B **12** (3E **23**)
Chapel St. Stan —6C **12**
Chapel St. Yax —4B **20**
Charles Cope Rd. Ort Wa —2B **16**
Charles St. Pet —2B **12** (2F **23**)
Charlton Ct. Long —4D **10**
Charnwood Clo. Pet —6A **12**
Chatsfield. Pet —3C **2**
Chatsworth Pl. Pet —3D **10**
Chaucer Rd. Pet —4F **5**
Cheltenham Clo. Pet —5B **6**
Chelveston Way. Pet —1E **11**
Cherryfields. Ort Wa —1A **16**
Cherry Orton Rd. Ort Wa —3B **16**
Cherrytree Gro. Pet —5C **6**
Cherry Tree Wlk. Yax —3E **21**
Chester Rd. Pet —1C **12** (1G **23**)
Chesterton Gro. Pet —1D **18**
Chestnut Av. Pet —4B **6**
Cheviot Av. Pet —1G **5**
Cheyney Ct. Ort M —3D **16**
Chiltern Rise. Pet —1F **5**
Chippenham M. Pet —6E **11**
Chisenhale. Ort Wa —1A **16**
Christopher Clo. Pet —3H **5**
Church Dri. Ort Wa —3B **16**
Churchfield Ct. Pet —3F **5**
Churchfield Rd. Pet —2F **5**
Church Hill. Cas —3C **8**
Churchill Clo. Far —5C **18**
Churchill Ho. Pet —4A 12 (5C 22)
(off Viersen Platz)
Church La. Old F —6B **12**
Church La. Ort Wa —2B **16**
Church La. Stan —6B **12**
Church La. Wer —6D **2**
Church St. Alw —3E **15**
Church St. Pet —3A **12** (4C **22**)
Church St. Stan —6C **12**
Church St. Wer —6D **2**
Church St. Yax —5B **20**
Church Wlk. Far —5C **18**
Church Wlk. Pet —2A **12** (1C **22**)
Church Wlk. Yax —5B **20**
Cissbury Ring. Pet —1E **5**
City Rd. Pet —3A **12** (3D **22**)
Clarence Rd. Pet —6G **5**
Clare Rd. Pet —5H **5**
Clavering Wlk. Pet —4D **2**
Clay La. Cas —3C **8**
Clay La. Eye —2C **6**
Clayton. Ort G —3C **16**
Cleatham. Bret —1C **10**
Cleveland Ct. Pet —1G **5**
Clifton Av. Pet —2G **11**
Clipston Wlk. Pet —6F **5**
Clumber Rd. Pet —1E **19**
Cobbett Pl. Pet —2B **12** (1F **23**)
Cobden Av. Pet —1H **11**
Cobden St. Pet —1H **11**
Cock Clo. Rd. Yax —3B **20**
Coleridge Pl. Pet —4G **5**
College Pk. Pet —6C **6**
Collingham. Ort G —4B **16**
Coneygree Rd. Pet —1C **18**
Coningsby Rd. Bret —1C **4**
Coniston Rd. Pet —6G **3**
Conquest Drove. Far —6D **18**
Conway Av. Pet —1E **5**
Cookson Clo. Yax —5B **20**
Cookson Wlk. Yax —5C **20**
Copeland. Bret —2B **10**
Copper Beech Way. Pet —6B **12**
Coppingford Clo. Pet —1D **18**

Copsewood. Pet —5E **3**
Corfe Av. Pet —1E **5**
Cosgrove Clo. Pet —5E **5**
Cotswold Clo. Pet —2G **5**
Cottesmore Clo. Pet —1E **11**
Cotton End. Bret —1C **10**
Council St. Pet —3F **5**
Coventry Clo. Pet —6D **2**
Coverdale Wlk. Pet —4C **2**
Cowgate. Pet —3H **11** (4B **22**)
Cow La. Cas —3D **8**
Cowper Rd. Pet —4H **5**
Crabapple Grn. Ort Wi —1H **15**
Crabtree. Pet —2B **6**
Craig St. Pet —2H **11** (1B **22**)
Crane Av. Yax —3D **20**
Cranemore. Pet —5C **2**
Cranford Dri. Pet —1E **11**
Crawthorne Rd. Pet
—2A **12** (1D **22**)
Crawthorne St. Pet
—2B **12** (1E **23**)
Creighton Ho. Pet —3E **23**
Crescent Bri. Pet —3H **11** (4A **22**)
Crescent, The. Eye —1H **7**
Crescent, The. Ort L —2E **17**
Crescent, The. Wood —6G **11**
Crester Dri. Pet —6E **3**
Cripple Sidings La. Pet —5A **12**
Crocus Gro. Pet —3A **6**
Crocus Way. Yax —3D **20**
Cromwell Rd. Pet —1H **11** (1B **22**)
Cropston Rd. Pet —4E **7**
Cross St. Far —5D **18**
Cross St. Pet —3A **12** (4C **22**)
Crowhurst. Pet —4E **3**
Crown St. Pet —4G **5**
Croyland Rd. Pet —2F **5**
Cumbergate. Pet —3A **12** (4C **22**)
Cumberland Ho. Pet —3E **23**
Cypress Clo. Pet —3C **10**

Daffodil Gro. Pet —6C **12**
Dalby Ct. Pet —3C **6**
Dale Clo. Ort Wa —2B **16**
Danes Clo. Pet —1C **12**
Danish Ct. Wer —5C **2**
David's Clo. Pet —5B **2**
David's La. Pet —5C **2**
Deaconscroft. Pet —6D **4**
Deacon St. Pet —2H **11** (2B **22**)
Dean's Ct. Pet —3A **12** (4D **22**)
Debdale. Ort Wa —3A **16**
De Bec Clo. Pet —2C **12** (2G **23**)
Deene Ct. Pet —6E **5**
Deerhurst Way. Eye —1H **7**
Deerleap. Bret —6C **4**
Delamere Rd. Pet —6C **6**
Delapre Ct. Eye —1G **7**
Dell, The. Pet —6G **11**
Delph Ct. Pet —1F **19**
Demontford Ct. Pet —5H **11**
Denham Wlk. Pet —1E **11**
Denis Dri. Ort Wa —3C **16**
Denmark Dri. Ort Wa —3C **16**
Denton Rd. Pet —1D **18**
Derby Dri. Pet —5C **6**
Derwent Dri. Pet —1G **5**
Derwood Gro. Pet —4D **2**
Desborough Av. Pet —3D **18**
Dickens St. Pet —2B **12** (2E **23**)
Dingley Ct. Pet —6E **5**
Doddington Dri. Pet —3D **10**
Dogsthorpe Gro. Pet —6A **6**
Dogsthorpe Rd. Pet —4A **6**
Donaldson Dri. Pet —1H **5**
Donegal Clo. Pet —1F **5**

Dorchester Cres. Pet —4D **6**
Dovecote Clo. Pet —4A **6**
Dovecote La. Yax —4B **20**
Dove Ho. Pet —3E **23**
Dover Rd. Pet —1E **5**
Downgate. Pet —4B **10**
Drain Rd. Newb —3H **3**
Drayton. Bret —1C **10**
Drive, The. Pet —4G **11**
Dryden Rd. Pet —4G **5**
Dry Leas. Ort L —1E **17**
Dudley Av. Pet —1E **5**
Dukesmead. Pet —1C **4**
Duke St. Pet —6A **12**
Dundee Crest. Yax —3D **20**
Dunsberry. Bret —3B **4**
Dunstan Ct. Pet —6C **6**
Durham Rd. Pet —2C **12** (1G **23**)

Eaglesthorpe. Pet —4G **5**
Earith Clo. Pet —2E **19**
Earl Spencer Ct. Pet —5G **11**
Earlswood. Ort B —2A **16**
Eastern Av. Pet —3B **6**
Eastern Clo. Pet —4D **6**
Eastfield Gdns. Pet —1B **12**
Eastfield Gro. Pet —1B **12**
Eastfield Rd. Pet —2B **12** (2E **23**)
Eastgate. Pet —3B **12** (3F **23**)
Eastholm Clo. Pet —2C **12** (1G **23**)
Eastleigh Rd. Pet —2C **12** (1H **23**)
Eastrea Ct. Pet —2E **19**
E. Station Rd. Pet —4A **12** (6D **22**)
Edenfield. Ort L —1E **17**
Edgcote Clo. Pet —6E **5**
Edgerley Drain Rd. Pet —6F **7**
Edgerley Drove. Eye —2F **7**
Edinburgh Av. Pet —6D **2**
Edwalton Av. Pet —2G **11**
Egar Way. Bret —3B **10**
Eldern. Ort M —3E **17**
Elizabeth Ct. Pet —6A **6**
Ellindon. Bret —4E **5**
Elliot Av. Bret —3B **10**
Ellwood Av. Pet —1E **19**
Elm Clo. Yax —3D **20**
Elm Cres. Glin —1A **2**
Elmfield Rd. Pet —4A **6**
Elmore Rd. Pet —2C **10**
Elm St. Pet —6H **11**
Elstone. Ort Wa —3B **16**
Elter Wlk. Pet —6G **3**
Elton-Chesterton By-Pass. Pet
—6F **15**
Ely Clo. Pet —6D **2**
Embankment Rd. Pet
—4A **12** (6D **22**)
Empsom Rd. Pet —6F **7**
Enfield Gdns. Pet —1E **11**
(in two parts)
Engaine. Ort L —2D **16**
English St. Pet —6G **5**
Ennerdale Rise. Pet —1F **5**
Eskdale Clo. Pet —6G **3**
Essendyke. Bret —4C **4**
Everdon Way. Pet —6E **5**
Everingham. Ort B —2H **15**
Exchange St. Pet —3A **12** (4C **22**)
Exeter Rd. Pet —5H **5**
Eyebrook Gdns. Pet —6G **3**
Eyebury Rd. Pet —1H **7**
Eye By-Pass. Eye —2C **6**
Eye Rd. Pet —5E **7**
Eyrescroft. Bret —4C **4**

Fairfield Rd. Pet —5A **12**

Fairmead Way. Pet —3G **11**
Fallodan Rd. Ort S —5G **15**
Fallowfield. Ort Wi —2H **15**
Fane Rd. Pet —3G **5**
Farleigh Fields. Ort Wi —1H **15**
Farm View. Cas —3C **8**
Farnsworth Ct. Pet —1B **18**
Far Pasture. Pet —4D **2**
Farriers Ct. Ort L —6F **11**
Farringdon Clo. Pet —5D **6**
Fawsley Garth. Pet —5E **5**
Fellowes Gdns. Pet —6A **12**
Fellowes Rd. Pet —6A **12**
Fenbridge Rd. Pet —5E **3**
Fengate. Pet —3C **12** (4H **23**)
Fengate Clo. Pet —3B **12** (4F **23**)
Fengate Trading Est. Pet —5H **23**
Fenlake Bus. Cen. Fen —3E **13**
Ferndale Way. Pet —2B **6**
Ferry Dri. Pet —3G **9**
Ferryview. Ort Wi —1H **15**
Field Rise. Yax —4B **20**
Field St. Pet —3B **12** (3F **23**)
Field Ter. Far —5C **18**
Field Wlk. Pet —3B **12** (3F **23**)
Figtree Wlk. Pet —4A **6**
Finchfield. Pet —4F **7**
Finchley Grn. Pet —2G **11**
Finmere Pk. Ort S —6G **15**
First Drove. Pet —4D **12**
Fitzwilliam St. Pet —2A **12** (2C **22**)
Five Arches. Ort Wi —1G **15**
Flag Bus. Exchange. Pet —2E **13**
Flag Fen Rd. Pet —1C **12**
Flamborough Clo. Pet
—4G **11** (6A **22**)
Flaxland. Bret —5C **4**
Fleet Drove. Pet —1B **18**
Fleet Way. Pet —1B **18**
Fletton Av. Pet —5A **12**
Fletton Fields. Pet —6A **12**
Fletton Parkway. Pet —6G **15**
Flore Clo. Pet —6E **5**
Folly Clo. Yax —3A **20**
Forge End. Alw —3E **15**
Forty Acre Rd. Pet —3D **12**
Fountains Pl. Eye —1H **7**
Fourth Drove. Pet —2F **13**
Foxcovert Rd. Glin & Pet —1C **2**
Foxcovert Rd. Wer —5D **2**
Foxcovert Wlk. Pet —3D **2**
Foxdale. Pet —4H **5**
Foxley Clo. Pet —5E **3**
Francis Gdns. Pet —3H **5**
Franklyn Cres. Pet —5E **7**
Frank Perkins Parkway. Pet
—4B **12** (6F **23**)
Frank Perkins Way. Pet —2D **12**
Freesia Way. Yax —3D **20**
Freston. Pet —1H **5**
Fulbridge Rd. Pet —4E **3**
Fulham Rd. Pet —1G **11**
Furze Ride. Pet —3B **6**

Gannocks Clo. Ort Wa —2B **16**
Gannocks, The. Ort Wa —2B **16**
Garrick Wlk. Pet —6B **12**
Garton End Rd. Pet —5A **6**
Garton St. Pet —6A **6**
Gascoigne. Pet —4B **2**
Gatenby. Pet —5E **3**
Gayton Ct. Pet —6E **5**
Gazeley Gdns. Far —5C **18**
Geneva St. Pet —2A **12** (2C **22**)
George St. Pet —5H **11**
Georgian Ct. Pet —4G **11**
Gidding Clo. Ort Wa —3B **16**

Gildale. Pet —5F **3**
Gildenburgh Av. Pet —6D **6**
Gilmorton Dri. Pet —4D **6**
Gilpin St. Pet —5G **5**
Gladstone St. Pet —6G **5** (1A **22**)
Glamis Gdns. Pet —3D **10**
Glastonbury Clo. Eye —1G **7**
Glatton Dri. Pet —1D **18**
Glebe Av. Ort Wa —3A **16**
Glebe Ct. Pet —5B **12**
Glebe Rd. Pet —5A **12**
Glemsford Rise. Pet —6E **11**
Glendale. Ort Wi —1H **15**
Gleneagles. Ort Wa —1B **16**
Glen, The. Pet —6B **12**
Glenton St. Pet —3C **12** (3G **23**)
Glinton By-Pass. Glin —2A **2**
Glinton Rd. Milk N —1G **3**
Gloucester Rd. Pet —5B **12**
Godric Sq. Pet —1F **17**
Goffsmill. Bret —1C **10**
Goldcrest Ct. Pet —3C **6**
Goldhay Way. Ort G —4A **16**
Goldie La. Ort Wa —1B **16**
Goodacre. Ort G —3C **16**
Goodwin Wlk. Pet —3D **2**
Goodwood Rd. Bret —2B **10**
Gordon Av. Pet —6G **11**
Gordon Way. Ort L —6E **11**
Gorse Grn. Pet —3B **6**
Gosling Drove. Far —6G **19**
Gostwick. Ort B —2H **15**
Gracechurch Ct. Pet —6C **6**
Graffham Clo. Pet —2E **19**
Grafton Av. Pet —2E **11**
Grampian Way. Pet —2G **5**
Granby St. Pet —3B **12** (4E **23**)
Grange Av. Pet —5A **6**
Grange Cres. Ort L —2C **16**
Grange Rd. Pet —2F **11**
Gransley Rise. Pet —6E **5**
Granville St. Pet —1A **12**
Grasmere Gdns. Pet —6F **3**
Gravel Wlk. Pet —4A **12** (5E **23**)
Gray Ct. Pet —4G **5**
Gt. Drove. Yax —4E **21**
Gt. Northern Cotts. Pet —5G **5**
Gt. North Rd. Water —6A **8**
Greenacres. Pet —5C **2**
Green Farm Clo. Cas —3C **8**
Greengate Ct. Pet —1C **12**
Greenham. Bret —2C **10**
Green La. Pet —1A **12**
Green La. Yax —3B **20**
Green, The. Cas —3C **8**
Green, The. Glin —1A **2**
Green, The. Pet —6E **3**
Green, The. Yax —4C **20**
Gresham Sq. Pet —2E **13**
Gresley Way. Pet —4E **5**
Gretton Clo. Pet —6E **11**
Griffiths Ct. Ort B —2A **16**
Grimshaw Rd. Pet —5B **6**
Grove Ct. Pet —5H **11**
Grovelands. Pet —3G **11**
Grove La. Long —3C **10**
Grove St. Pet —5H **11**
Gullymore. Bret —3B **4**
Gunthorpe Ridings. Pet —6H **3**
Gunthorpe Rd. Newb —6H **3**
Gunthorpe Rd. Pet —1F **5**
Gurnard Leys. Pet —2C **4**
Guthlac Av. Pet —3F **5**

Hacke Rd. Pet —2F **11**
Haddonbrook Bus. Cen. Ort S
—5G **15**

Haddon Clo. Pet —2E **19**
Haddon Rd. Pet —2G **11**
Haddon Way. Far —5B **18**
Hadley Rd. Pet —2F **5**
Hadrians Ct. Pet —5B **12**
Hallaton Rd. Pet —3D **6**
Hallfields La. Pet —1G **5**
Hall La. Pet —5E **3**
Ham La. Ort Wa —6H **9**
Hampton Ct. Pet —5E **5**
Hanbury. Ort G —4B **16**
Hankey St. Pet —1H **11**
Hanover Ct. Bret —3C **4**
Hardwick Clo. Pet —3D **10**
Harebell Clo. Pet —2B **6**
Harewood Gdns. Pet —3D **10**
Harlech Grange. Pet —5C **10**
Harlton Clo. Pet —2E **19**
Harrier Pk. Ort S —5H **15**
Harrison Clo. Bret —3B **10**
Harris St. Pet —6H **5**
Hartford Clo. Pet —1D **18**
Hartwell Ct. Pet —6F **5**
Hartwell Way. Pet —5D **4**
Harvester Way. Pet
—4C **12** (5H **23**)
Hastings Av. Pet —1E **19**
Havelock Dri. Pet —1E **19**
Haveswater Clo. Pet —1G **5**
Hawkshead Way. Pet —6G **3**
Hawthorn Rd. Pet —5C **6**
Hawthorn Rd. Yax —4D **20**
Haywards Field. Pet —4C **10**
Hazelcroft. Pet —5C **2**
Heather Av. Pet —3A **6**
Heatherdale Clo. Pet —2C **18**
Heath Row. Pet —2B **6**
Heaton Clo. Pet —2D **10**
Hedgelands. Pet —3E **3**
Helmsdale Gdns. Pet —1D **4**
Helpston Rd. Ail & Glin —3B **3**
Helpston Rd. Glin —1A **2**
Heltwate. Bret —4E **5**
Hemingford Cres. Pet —1E **19**
Henry Ct. Pet —1A **12**
Henry Penn Wlk. Pet —6C **22**
Henry St. Pet —1A **12**
Henshaw. Pet —5E **7**
Henson St. Pet —3B **12** (3F **23**)
Hereward Clo. Pet —3B **12** (4F **23**)
Hereward Cross. Pet
—3A **12** (3D **22**)
Hereward Rd. Pet —3B **12** (4F **23**)
Heritage Ct. Pet —6C **6**
Herlington. Ort M —3D **16**
Herlington Cen. Ort M —3D **16**
Heron Ct. Pet —1D **18**
Heron Pk. Pet —5F **7**
Herrick Clo. Pet —4E **5**
Hetley. Ort G —3C **16**
Hexham Ct. Pet —2D **12**
Heyford Clo. Pet —1H **5**
Hickling Wlk. Pet —6G **3**
Hicks La. Pet —2H **17**
Highbury St. Pet —6H **5**
Highfield Wlk. Yax —3E **21**
High St. Eye, Eye —1G **7**
High St. Castor, Cas —3D **8**
High St. Glinton, Glin —1A **2**
High St. Peterborough, Pet
—1H **17**
Hillcrest Av. Yax —4C **20**
Hill La. Water —6A **8**
Hillside Wlk. Yax —3E **21**
Hillward Ct. Ort L —1E **17**
Hinchcliffe. Ort G —5A **16**
Hod Fen Drove. Yax —6C **20**
Hodgson Av. Pet —3C **2**

Hodney Rd. Eye —1F **7**
Hog Fen Drove. Yax —4E **21**
Holcroft. Ort M —4D **16**
Holdfield. Pet —5D **4**
Holdich St. Pet —3G **11**
Holgate La. Pet —2D **2**
Holkham Rd. Ort S —4H **15**
Holland Av. Pet —2F **5**
Holland Clo. Pet —2F **5**
Holme Clo. Ail —3B **8**
Holme Rd. Yax —5C **20**
Holmes Rd. Glin —2B **2**
Holmes Way. Pet —1G **5**
Holywell Clo. Pet —4C **10**
Holywell Way. Pet —3B **10**
Home Pasture. Pet —4D **2**
Honey Hill. Pet —2A **6**
Horton Wlk. Pet —6F **5**
Howland. Ort G —4C **16**
Hoylake Dri. Pet —2C **18**
Hungarton Ct. Pet —3D **6**
Hunting Av. Pet —6H **11**
Huntly Gro. Pet —1A **12**
Huntly Rd. Pet —6G **11**
Huntly Sq. Ort Wa —3A **16**
(off Glebe Av.)
Huntsmans. Bret —2B **10**
Hurn Rd. Wer —5A **2**
Hythegate. Pet —5F **3**
Hytholmes. Bret —4B **4**

Ibbott Clo. Pet —2E **19**
Iliffe Ga. Pet —1H **5**
Illston Pl. Pet —4E **7**
Ingleborough. Pet —6A **6**
Inglis Ct. Bret —2C **4**
Irchester Pl. Pet —6F **5**
Isham Rd. Pet —1F **11**
Itter Cres. Pet —2G **5**
Ivatt Way. Pet —5E **5**
Ivy Gro. Pet —1F **5**
Ixworth Clo. Eye —1G **7**

Jasmine Way. Yax —2D **20**
John Bird Wlk. Far —5C **18**
John King Gdns. Stan —1C **18**
Johnson Wlk. Pet —4H **5**
Jorose Way. Bret —2B **10**
Jubilee Ct. Bret —4D **4**
Jubilee St. Pet —5H **11** (6A **22**)
Juniper Cres. Pet —3C **10**

Keats Way. Pet —4G **5**
Keeton Rd. Pet —4G **5**
Kelso Ct. Pet —2E **5**
Kendall Clo. Pet —1H **5**
Kennet Gdns. Pet —2G **5**
Kenrick Clo. Pet —1H **5**
Kentmere Pl. Pet —1H **5**
Kent Rd. Pet —3G **11**
Kesteven Wlk. Pet —3B **12** (3E **23**)
Kestrel Ct. Bret —3B **10**
Keswick Clo. Pet —6H **3**
Keys Pk. Pet —4F **7**
Kildare Dri. Pet —1E **11**
Kilham. Ort G —5A **16**
Kilverstone. Wer —2D **2**
Kimbolton Ct. Pet —2H **11** (1B **22**)
Kingfisher Clo. Yax —4B **20**
Kingfishers. Ort Wi —1H **15**
Kingsbridge Ct. Pet —4C **2**
King's Delph. Whit —2H **19**
King's Delph Drove. Far —6E **19**
(in two parts)
King's Delph Highway. Far —5G **19**

Kings Dyke Clo. Pet —1E **19**
King's Gdns. Pet —6A **6**
Kingsley Rd. Pet —1C **12**
Kings Rd. Pet —1B **18**
Kingston Dri. Pet —2E **19**
King St. Pet —3H **11** (4C **22**)
Kinnears Wlk. Ort G —5B **16**
Kipling Ct. Pet —3G **5**
Kirby Wlk. Pet —1E **11**
Kirkmeadow. Bret —3C **4**
Kirkton Ga. Pet —4C **10**
Kirkwood Clo. Pet —4G **11**
Kirstall. Ort M —4D **16**
Knole Wlk. Pet —2D **10**

Laburnham Gro. Pet —3B **6**
Laburnum Av. Yax —3D **20**
Ladybower Way. Pet —6G **3**
Lady Lodge Dri. Ort Wa —2C **16**
Lakeside. Pet —5F **3**
Lammas Rd. Pet —4A **6**
Lancashire Ga. Pet
—3B **12** (4F **23**)
Lancaster Ct. Yax —3E **21**
Lancaster Way. Yax —3D **20**
Lancing Clo. Pet —6E **3**
Landy Grn. Way. Cas —5E **9**
Langdyke. Pet —5F **7**
Langford Rd. Pet —6A **12**
Langley. Bret —3D **4**
Langton Rd. Pet —4D **6**
Lansdowne Rd. Yax —3D **20**
Lansdowne Wlk. Pet —6F **11**
Larch Clo. Yax —3D **20**
Larch Gro. Pet —5C **6**
Larklands. Pet —4D **10**
Larkspur Wlk. Pet —6F **3**
Latham Av. Ort L —6E **11**
Laurel Clo. Yax —5B **20**
Lavender Clo. Yax —3D **20**
Lavender Cres. Pet —3A **6**
Lavenham Ct. Pet —6E **11**
Lavington Grange. Pet —5E **7**
Lawn Av. Pet —4A **6**
Lawrence Av. Far —5C **18**
Lawson Av. Pet —1D **18**
Laxton Sq. Pet —3A **12** (3D **22**)
Leading Drove. Pet —6B **2**
(in two parts)
Lea Gdns. Pet —4H **11** (5A **22**)
Ledbury Rd. Pet —2D **10**
Ledham. Ort B —3H **15**
Lee Rd. Yax —5C **20**
Leeson Ho. Pet —3E **23**
Leighton. Ort M —3E **17**
Leinsters Clo. Pet —3F **11**
Leofric Sq. Pet —2E **13**
Lessingham. Ort B —3H **15**
Lethbridge Rd. Pet —1G **5**
Levens Wlk. Pet —2D **10**
Lewes Gdns. Pet —6E **3**
Leys, The. Pet —4C **10**
Lichfield Av. Pet —2D **10**
Lidgate Clo. Pet —6E **11**
Lilac Rd. Pet —4C **6**
Lilac Wlk. Yax —3D **20**
Limes, The. Cas —4D **8**
Lime Tree Av. Pet —1H **11**
Lime Tree Clo. Yax —2D **20**
Lincoln Rd. Glin & Pet —1A **2**
Lincoln Rd. Pet —4G **5** (3C **22**)
Lindisfarne Rd. Eye —2G **7**
Lindridge Wlk. Pet —2C **10**
Lindsey Clo. Pet —2F **5**
Ling Garth. Pet —3B **6**
Lingwood Pk. Pet —5C **10**
Link Rd. Pet —2H **11** (1A **22**)

Linkside. Bret —2D **4**
Linnet. Ort Wi —1H **15**
Lister Rd. Pet —4H **5**
Litchfield Clo. Yax —4D **20**
Little Clo. Eye —2H **7**
Lit. John's Clo. Bret —2B **10**
Littlemeer. Ort Wa —3B **16**
Livermore Grn. Pet —3C **2**
Loder Av. Bret —3B **10**
Loire Ct. Pet —1G **11**
Lombardy Dri. Pet —3C **6**
London Rd. Yax & Pet
—5A **20** (6D **22**)
Long Causeway. Pet
—3A **12** (4C **22**)
Long Pasture. Pet —4D **2**
Longthorpe Clo. Pet —3D **10**
Longthorpe Grn. Pet —4D **10**
Longthorpe Ho. Long —3B **10**
Longthorpe Parkway. Long
—5D **10**
Longwater. Ort L —1D **16**
Lowick Gdns. Pet —6E **5**
Lowther Gdns. Pet —1F **5**
Loxley. Pet —5C **2**
Luddington Rd. Pet —2F **5**
Lutton Gro. Pet —6E **5**
Lyme Wlk. Pet —1E **11**
Lynch Cotts. Ort Wi —1G **15**
Lynch Wood. Pet —2F **15**
Lyndale Pk. Ort Wi —1G **15**
Lynton Rd. Pet —5H **5**
Lythemere. Ort M —3E **17**
Lyvelly Gdns. Pet —5E **7**

Mace Rd. Pet —2D **18**
Maffit Rd. Ail —3B **8**
Magee Ct. Pet —2F **5**
Magnolia Av. Pet —3C **10**
Main St. Ail —3B **8**
Main St. Far —5C **18**
Main St. Yax —5C **20**
Malborne Way. Ort M —4D **16**
Mallard Rd. Pet —2D **4**
Mallory Rd. Pet —3D **12**
Malting Sq. Yax —3D **20**
Malvern Rd. Pet —1G **5**
Manasty Rd. Ort S —5H **15**
Mancetter Sq. Pet —2D **4**
Mandeville. Ort G —3B **16**
Manor Av. Pet —6B **12**
Manor Clo. Yax —4B **20**
(in two parts)
Manor Dri. Pet —6H **3**
Manor Farm La. Cas —3C **8**
Manor Gdns. Pet —6C **12**
Manor Gro. Cen. Pet —2E **13**
Manor Ho. St. Pet
—2A **12** (2C **22**)
Mansfield Ct. Pet —6C **6**
Manton. Bret —2C **10**
Maple Ct. Yax —2D **20**
Maple Gro. Pet —4B **6**
Mardale Gdns. Pet —1H **5**
Marholm Rd. Bret —2C **4**
Marholm Rd. Cas & Pet —3E **9**
Marholm Rd. Pet —2D **4**
Market Way. Pet —3A **12** (3D **22**)
Marlborough Clo. Yax —4C **20**
Marlowe Gro. Pet —3G **5**
Marne Av. Pet —2E **5**
Marriott Ct. Pet —6E **7**
Marshall's Way. Far —5C **18**
Marsham. Ort G —4B **16**
Martin Ct. Pet —5E **3**
Martinsbridge. Pet —4F **7**
Martins Way. Ort Wa —2B **16**

Mary Armyne Rd. Pet —2D **16**
Mary Walsham Clo. Pet —2E **19**
Maskew Av. Pet —5G **5**
Matley. Ort B —2A **16**
Maud Swift Ct. Pet —1B **18**
Maxwell Rd. Pet —1F **17**
Mayfield Rd. Pet —4A **6**
Mayor's Wlk. Pet —2F **11** (2A **22**)
Mead Clo. Pet —2D **4**
Meadenvale. Pet —6E **7**
Meadow Gro. Pet —2B **6**
Meadow Rd. Milk N —1E **3**
Meadow Wlk. Yax —3E **21**
Mead, The. Pet —2E **5**
Mealsgate. Pet —1H **5**
Medbourne Gdns. Pet —3D **6**
Medeswell. Ort M —3E **17**
Medworth. Ort G —4B **16**
Meggan Ga. Pet —4C **10**
Melford Clo. Pet —4C **10**
Mellows Clo. Pet —2C **12** (2H **23**)
Mellows Ct. Pet —2C **12** (2H **23**)
Melrose Dri. Pet —6A **12**
Mendip Gro. Pet —1G **5**
Mercian Ct. Pet —6D **12**
Mere Drove. Yax —5D **20**
Merelade Gro. Pet —4D **2**
Mere View. Yax —3E **21**
Mere View Ind. Est. Yax —3E **21**
Meriton. Ort G —4B **16**
Metro Cen. Pet —1F **17**
Mewburn. Bret —2C **4**
Meynell Wlk. Pet —2D **4**
(in two parts)
Mickle Ga. Pet —4C **10**
Middle Pasture. Pet —4D **2**
Middle Rd. Newb —1H **3**
Middle St. Far —5C **18**
Middleton. Bret —1C **10**
Middleton Rd. Yax —4C **20**
Midgate. Pet —3A **12** (3D **22**)
Midland Rd. Pet —2G **11** (3A **22**)
Mildmay Rd. Pet —3F **5**
Mile Drove. Yax —4F **21**
Milk and Water Drove. Far —3G **19**
Milking Nook Rd. Milk N —1G **3**
Mill Cres. Ort Wa —3A **16**
Mill La. Alw —2E **15**
Mill Rd. Cas —1D **14**
Mill Rd. Ort Wa —3A **16**
Mill View. Alw —2E **15**
Milnyard Sq. Pet —5G **15**
Milton Rd. Pet —6A **12**
Milton Way. Bret —2A **10**
Mina Clo. Pet —3D **18**
Minerva Bus. Pk. Lyn W —2F **15**
Minster Precinct. Pet
—3A **12** (4D **22**)
Misterton. Ort G —4A **16**
Misterton Ct. Ort G —4A **16**
Moggswell La. Pet —3D **16**
Monks Gro. Pet —4C **2**
Montagu Rd. Pet —3F **5**
Monument St. Pet
—2A **12** (1D **22**)
Moore's La. Eye —1H **7**
Moorfield Rd. Pet —2F **11**
Morbourne Clo. Pet —1D **18**
Morland Ct. Pet —5D **2**
Morley Way. Pet —2F **17**
Morpeth Clo. Ort L —1E **17**
Morpeth Rd. Pet —2E **11**
Morris St. Pet —2B **12** (2F **23**)
Moulton Gro. Pet —5E **5**
Mountbatten Av. Yax —4C **20**
Mountbatten Way. Pet —5E **5**
Mt. Pleasant. Pet —6C **12**
Mountsteven Av. Pet —2E **5**

Mowbray Rd. Bret —2B **4**
Mulberry Clo. Yax —4E **21**
Muskham. Bret —1B **10**
Muswell Rd. Pet —1G **11**
Myrtle Av. Pet —4B **6**
Myrtle Ct. Pet —4C **6**
Myrtle Gro. Pet —4C **6**

Nab La. Pet —2H **5**
Nansicles Rd. Ort L —1F **17**
Napier Pl. Ort Wi —1G **15**
Narrow Drove. Yax —4G **21**
Naseby Clo. Pet —6E **5**
Nathan Clo. Pet —3C **10**
Neaverson Rd. Glin —2B **2**
Nelson Pl. Pet —1E **19**
Nene Parkway. Long & Pet
—4B **10**
Nene St. Pet —3C **12** (3G **23**)
Nene Way. Pet —5A **10** (6A **22**)
Newark Av. Pet —5B **6**
Newark Rd. Pet —3E **13**
Newborn Clo. Pet —2E **19**
Newborough Rd. Pet —1C **6**
Newby Clo. Pet —2D **10**
Newcastle Dri. Ort L —1F **17**
Newcombe. Ort S —4H **15**
Newmarket Clo. Pet —5B **6**
New Meadow Drove. Far —5D **18**
New Rd. Eye —1H **7**
New Rd. Ort Wa —3A **16**
(in two parts)
New Rd. Pet —3B **12** (3D **22**)
New Rd. Whit —6A **16**
New Rd. Wood —5G **11**
Newton Ct. Pet —2H **5**
Nicholas Taylor Gdns. Bret —1B **10**
Nicholls Av. Pet —2G **11**
Nightingale Ct. Pet —1H **11**
Nightingale Dri. Yax —3B **20**
Norburn. Bret —3D **4**
Norfolk St. Pet —1H **11**
Norman Rd. Pet —1C **12**
Normanton Rd. Pet —1E **19**
North Bank. Pet —4C **12** (5H **23**)
Northbank Rd. Pet —2D **12**
Northey Rd. Thor —2H **13**
N. Fen Rd. Glin —1A **2**
Northfield Rd. Pet —4H **5**
Northminster Rd. Pet
—2A **12** (2D **22**)
North St. Pet —3A **12** (3C **22**)
North St. Stan —5C **12**
Norton Rd. Pet —5H **5**
Norwood La. Eye —1C **6**
Nottingham Way. Pet —5C **6**
Nursery La. Fen —3D **12** (4H **23**)

Oakdale Av. Pet —2D **18**
Oakfields. Long —3C **10**
Oaklands. Pet —1A **12**
Oakleaf Rd. Pet —5C **6**
Oakleigh Dri. Ort L —1E **17**
Oak Rd. Glin —1A **2**
Oak View. Bret —3B **10**
Occupation Rd. Pet —5G **5**
Odecroft. Pet —4E **5**
Oldbrook. Bret —2C **4**
Old Ct. M. Pet —6A **6**
Old Gt. North Rd. Water —6A **8**
Old Pond La. Cas —3C **8**
Olive Rd. Pet —4C **6**
Orchard Clo. Pet —2F **11**
Orchards, The. Ort Wa —3B **16**
Orchard St. Pet —5H **11**
Orchard Wlk. Yax —3D **20**

Orchid Clo. Yax —2D **20**
Orme Rd. Pet —1F **11**
Orton Av. Pet —6G **11**
Orton Enterprise Cen. Ort S
—5G **15**
Orton Parkway. Ort B —2H **15**
Orwell Gro. Pet —2H **5**
Osbourne Clo. Pet —2H **5**
Osprey. Ort G —5B **16**
Osric Ct. Pet —6C **6**
Oundle Rd. Ort L —6E **11**
Oundle Rd. Pet —6A **14**
Outfield. Bret —2C **4**
Overstone Ct. Pet —5E **5**
Overton Way. Ort Wa —3B **16**
Owl End Wlk. Yax —4B **20**
Oxclose. Bret —3C **4**
Oxford Rd. Pet —6H **5**
Oxney Rd. Pet —6E **7**
Oxney Rd. Ind. Est. Pet —5F **7**

Paddocks, The. Pet —4B **2**
Padholme Rd. Pet —2B **12** (1F **23**)
Palm Ct. Pet —3B **6**
Palmer's Rd. Pet —6F **7**
Palmerston Rd. Pet —6H **11**
Pantiles, The. Pet —1A **12**
Papyrus Rd. Pet —5B **2**
Park Clo. Yax —4D **20**
Park Cres. Pet —6B **6**
Park Farm Rd. Bret —6A **4**
Park La. Pet —2C **12** (1H **23**)
Park Rd. Pet —3A **12** (3C **22**)
Parkside. Pet —1D **16**
Park St. Pet —6H **11**
Park Ter. Pet —5A **6**
Parliament St. Pet —6H **5**
Parnwell Way. Parn —3F **7**
Partridge Clo. Yax —3B **20**
Partridge Gro. Pet —4C **2**
Paston La. Pet —3F **5**
Paston Parkway. Pet —4F **3**
Paston Ridings. Pet —2G **5**
Pastures, The. Pet —4D **2**
Patterdale Dri. Pet —1A **6**
Paulsgrove. Ort Wi —1H **15**
Paxton Rd. Ort Wa —3A **16**
Paynels. Ort G —4C **16**
Paynesholm. Pet —2A **6**
Peacock Way. Bret —3B **10**
Peake Clo. Pet —1H **17**
Peakirk Rd. Glin —1B **2**
Pearces Rd. Eye —6H **7**
Peartree Wlk. Yax —3E **21**
Peddars Way. Pet —3C **10**
Pelham Clo. Bret —3B **10**
Pembroke Av. Ort Wa —2B **16**
Pendleton. Pet —5D **4**
Pennine Way. Pet —1F **5**
Pennington. Ort G —4A **16**
Penrith Gro. Pet —1A **6**
Pentlands, The. Pet —1G **5**
Penyale. Pet —4C **10**
Peppercorn Clo. Pet —5G **5**
Percival St. Pet —3G **11**
Perkins Parkway. Pet —2D **12**
Peterborough Bus. Pk. Lyn W
—2F **15**
Peterborough Dri. Pet —2H **9**
Peterborough Rd. Ail —3A **8**
Peterborough Rd. Eye —3E **7**
Peterborough Rd. Far & Pet
—5C **18**
Peveril Rd. Pet —4H **5**
Pheasant Gro. Pet —4C **2**
Pheasant Way. Yax —4B **20**
Phorpres Ho. Pet —1H **17**

Phorpres Way. Pet —4F **17**
Pilton Clo. Pet —1H **5**
Pine Tree Clo. Pet —3B **6**
Pipe La. Pet —3B **12** (3E **23**)
Pittneys. Pet —2H **5**
Ploverly. Pet —4E **3**
Pope Way. Pet —3G **5**
Poplar Av. Pet —3B **6**
Portland Av. Pet —4H **5**
Port La. Cas —4C **8**
Portman Clo. Pet —1F **11**
Potters Way. Pet —4C **12** (5G **23**)
Poulter Av. Pet —2D **18**
Pratt Av. Pet —1H **5**
Priestgate. Pet —3H **11** (4B **22**)
Primrose Clo. Pet —3A **6**
Primrose Dri. Pet —3A **6**
Prince's Gdns. Pet —1B **12**
Prince's Ga. Pet —1B **12**
Princes Rd. Pet —6A **12**
Prince's St. Pet —1A **12**
Priors Ga. Pet —5C **2**
Priory Gdns. Ches —4D **14**
Priory Rd. Pet —2G **11**
Prospero Clo. Pet —1H **17**
Pyecroft. Pet —5B **6**
Pyhill. Bret —4D **4**

Queen's Dri. W. Pet —6A **6**
Queen's Gdns. Pet —6A **6**
Queensgate Shopping Cen. Pet
—3H **11** (3B **22**)
Queen's Rd. Pet —6B **12**
Queen St. Pet —3A **12** (4C **22**)
Queen St. Yax —3D **20**
Queens Wlk. Ort Wa —1A **16**
Queen's Wlk. Wood —5H **11**
Quickset Drove. Yax —5D **20**
Quinton Garth. Pet —6E **5**

Radgale Clo. Pet —4E **7**
Raleigh Way. Pet —5D **2**
Rangefield. Ort B —3A **16**
Rasen Ct. Pet —2C **12** (1H **23**)
Ratcliffe Ct. Pet —4D **6**
Rayner Av. Pet —2E **19**
Rectors Way. Pet —1H **5**
Rectory Gdns. Glin —1A **2**
Redbridge. Pet —2C **4**
Redgate Ct. Pet —4E **7**
Redmile Wlk. Pet —3C **6**
Reepham. Ort B —3H **15**
Reeves Way. Pet —1C **12**
Regency Way. Pet —4G **11**
Regents Ct. Pet —1A **12**
Richmond Av. Pet —1E **5**
Ridge Way. Pet —5C **12**
Rightwell. Bret —6C **4**
Ringstead Rd. Pet —2H **5**
Ringwood. Bret —2B **10**
Ripon Clo. Pet —6D **2**
Risby. Bret —3D **4**
Riseholme. Ort G —4A **16**
Rivendale. Pet —1D **4**
Rivergate. Pet —4A **12** (6D **22**)
Rivergate Cen., The. Pet
—4A **12** (5C **22**)
River La. Pet —3H **11** (4A **22**)
Riverside Gdns. Pet —3F **11**
Riverside Mead. Pet —5C **12**
Robert Av. Pet —3H **5**
Robert Rayner Clo. Ort L —1F **17**
Robin Hood Clo. Bret —3B **10**
Robins Clo. Pet —5G **11**
Rockingham Gro. Pet —1E **5**
Rock Rd. Pet —5H **5**

Rolleston Garth. Pet —3C **6**
Romany Gdns. Pet —2D **18**
Rookery, The. Ort Wi —6G **9**
Rookery, The. Yax —4B **20**
Rose Av. Pet —6C **12**
Rosemary Gdns. Pet —3H **5**
Rothbury Gro. Pet —4E **7**
Rothwell Way. Pet —6E **11**
Roundhouse Clo. Pet —2D **12**
Rowan Av. Pet —5C **6**
Rowe Av. Ort L —1F **17**
Royce Rd. Alw —3E **15**
Royle Clo. Pet —2E **17**
Royston Av. Ort L —1E **17**
Rudyard Gro. Pet —6G **3**
Rushmere. Pet —1B **16**
Rushton Av. Pet —5C **2**
Russell St. Pet —2H **11** (2A **22**)
Rutland Ct. Pet —3C **12** (3G **23**)
Rydal Ct. Pet —6G **3**

Sage's La. Pet —2E **5**
St Alban's Dri. Eye —2H **7**
St Audrey Clo. Pet —1D **18**
St Augustine's Wlk. Pet —5G **11**
St Bee's Dri. Eye —2H **7**
St Benet's Gdns. Eye —1H **7**
St Botolph La. Ort L —1E **17**
St Davids Sq. Fen —4D **12**
St George Av. Pet —2E **19**
St James Av. Pet —4H **5**
St John's Clo. Pet —3G **11**
St John's Rd. Pet —6B **12**
St Johns St. Pet —3B **12** (3E **23**)
St Jude's Clo. Pet —1E **11**
St Kyneburgha Clo. Cas —3C **8**
St Leonard's St. Pet —3B **22**
St Margaret's Pl. Pet —1H **17**
St Margaret's Rd. Pet —1H **17**
St Mark's St. Pet —2A **12** (1C **22**)
St Martin's St. Pet —6H **5**
St Mary's Clo. Far —5C **18**
St Marys Clo. Pet —1B **12**
St Mary's Ct. Pet —3B **12** (3E **23**)
St Marys Dri. Ort Wa —3B **16**
St Mary's St. Far —5C **18**
St Michael's Ga. Pet —4F **7**
St Michaels Wlk. Eye —1H **7**
St Olave's Dri. Eye —2H **7**
St Paul's Rd. Pet —5G **5**
St Pega's Rd. Pea —1C **2**
St Peter's Rd. Pet
—3A **12** (4D **22**)
St Peters Wlk. Yax —3D **20**
Salisbury Rd. Pet —6D **2**
Sallows Rd. Pet —5B **6**
Saltersgate. Pet —5E **7**
Saltmarsh. Ort M —3E **17**
Samsworth Clo. Cas —3D **8**
Sandford. Pet —6D **4**
Sandpiper Dri. Pet —1E **19**
Sandringham Rd. Pet —3E **5**
Sapperton. Pet —3D **2**
Saville Rd. W'wood —6F **5**
Saxby Gdns. Pet —3C **6**
Saxon Rd. Pet —2C **12** (1G **23**)
Sayer Ct. Ort G —5B **16**
Scalford Dri. Pet —3C **6**
School Clo. Bret —6C **4**
School La. Pet —6D **2**
Scotenden. Ort G —4A **16**
Scotney St. Pet —4G **5**
Scott Clo. Pet —1E **19**
Scotts Rd. Glin —1B **2**
Searjeant St. Pet —6G **5**
Sebrights Way. Bret —2B **10**
Second Drove. Pet —4D **12**

Sellers Grange. Ort G —3D **16**
Serlby Gdns. Pet —2D **10**
(in two parts)
Setchfield Pl. Pet —6H **11**
Sevenacres. Ort B —3A **16**
Severn Clo. Pet —2G **5**
Seymour Pl. Pet —2B **6**
Shakespeare Av. Pet —4H **5**
Shamrock Clo. Pet —6D **12**
Sharma Leas. Pet —6C **2**
Shearwater. Ort Wi —1H **15**
Sheepwalk. Pet —2A **6**
Sheldrick Wlk. Pet —5C **2**
Shelley Clo. Pet —3G **5**
Shelton Rd. Pet —1D **18**
Shepherds Clo. Pet —5E **3**
Sherborne Rd. Pet —5D **6**
Sheridan Rd. Pet —3H **5**
Sherringham Way. Ort L —1E **17**
Sherwood Rd. Pet —6H **11**
Shire Gro. Pet —6C **6**
Shopping Arc. Pet
—3A **12** (3C **22**)
Shortacres Rd. Pet —6H **11**
Shortfen. Ort M —3E **17**
Shrewsbury Av. Pet —6F **11**
Shrewsbury Ct. Pet —6F **11**
Shropshire Pl. Pet
—3B **12** (3F **23**)
Silver St. Pet —6H **11**
Silverwood Rd. Pet —6H **5**
Silverwood Wlk. Pet —4E **21**
Silvester Rd. Cas —3C **8**
Singerfire Rd. Ail —3B **8**
Sissley. Ort G —5A **16**
Skater's Way. Pet —5E **3**
Smallwood. Pet —5D **4**
Snowhills. Yax —4C **20**
Soke Parkway. Pet —3B **10**
Somerby Garth. Pet —4D **6**
Somerville. Pet —4C **2**
Southdown Rd. Yax —4D **20**
Southfields Av. Pet —1D **18**
Southfields Dri. Pet —2D **18**
Southgate Pk. Ort S —5G **15**
Southgate Way. Ort S —6G **15**
Southlands Av. Pet —5A **6**
Southoe Rd. Far —5D **18**
South Pde. Pet —2G **11**
South St. Pet —3B **12** (3E **23**)
South St. Stan —6C **12**
S. View. Pet —6H **11**
Southview Rd. Pet —3F **5**
Southwell Av. Pet —5C **2**
Southwick Clo. Pet —2H **5**
Speechley Rd. Yax —3D **20**
Spencer Av. Pet —2D **18**
Spinney Wlk. Pet —3D **10**
Spital Bri. Pet —2G **11** (2A **22**)
Splash La. Cas —5C **8**
Spring Dri. Far —5B **18**
Springfield. Pet —6A **12**
Springfield Pl. Pet —6H **5**
Springfield Rd. Yax —4D **20**
Springnall. Bret —1B **10**
Square, The. Pet —2E **13**
Squiresgate. Pet —6H **3**
Stackyard, The. Ort Wa —2A **16**
Stagsden. Ort —3B **16**
Stagshaw Dri. Pet —5B **12**
Stallebrass Clo. Pet —2E **19**
Stamford Lodge Rd. Pet —1G **9**
Stamford Rd. Mar —2A **4**
Stamper St. Bret —2D **18**
Stanford Wlk. Pet —1E **11**
Staniland Way. Pet —4D **2**
Stanley Rd. Pet —2A **12** (1D **22**)
Stan Rowing Ct. Stan —6C **12**

Stanwick Ct. Pet —3H **11** (4A **22**)
Stapledon. Ort S —5H **15**
Stapledon Rd. Ort S —5H **15**
Star Clo. Pet —2C **12** (2G **23**)
Star M. Pet —3C **12** (3G **23**)
Star Rd. Pet —3C **12** (4G **23**)
Stathern Rd. Pet —4D **6**
Station La. Ort Wi —6A **10**
Station Rd. Ail —5A **8**
Station Rd. Pet —3H **11** (3A **22**)
Staverton Rd. Pet —5C **2**
Stephenson Ct. Pet
—3B **12** (4E **23**)
Steve Woolley Ct. Ort M —3D **16**
Steynings, The. Pet —6E **3**
Stimpson Wlk. Pet —5D **2**
Stirling Way. Bret —2C **4**
Stocks Hill. Cas —4D **8**
Stokesay Ct. Pet —4D **10**
Stonebridge. Ort M —2E **17**
Stonebridge Lea. Ort M —2E **17**
Stonehouse Rd. Yax —4C **20**
Stone La. Pet —6H **5**
Stoneleigh Ct. Pet —3D **10**
Storey's Bar Rd. Pet —2F **13**
Storrington Way. Pet —6E **3**
Stowehill Rd. Pet —2H **5**
Straight Drove. Far —6D **18**
Stuart Clo. Pet —1C **18**
Stuart Ct. Pet —1B **12**
Stuart Ho. Pet —3E **23**
Stukeley Clo. Pet —2D **8**
Stumpacre. Bret —3C **4**
Sturrock Way. Bret —3E **5**
Suffolk Clo. Pet —3D **10**
Summerfield Rd. Pet —1H **11**
Sunningdale. Ort Wa —1A **16**
Sunnymead. Pet —3C **2**
Sutton Ct. Pet —5E **3**
Svenskaby. Ort Wi —1G **15**
Swain Ct. Pet —5H **11**
Swale Av. Pet —2G **5**
Swallowfield. Pet —5D **2**
Swanspool. Pet —5D **4**
Sweetbriar La. Pet —3D **2**
Sycamore Av. Pet —4B **6**
Sydney Rd. Pet —2D **18**

Tait Clo. Pet —6C **6**
Talbot Av. Ort L —1F **17**
Tanglewood. Pet —2D **2**
Tanhouse. Ort M —2E **17**
Tansor Garth. Pet —6E **5**
Tantallon Ct. Pet —4D **10**
Tarrant. Pet —3C **2**
Taverners Rd. Pet —1H **11**
Teanby Ct. Pet —2B **10**
Temple Grange. Pet —3D **2**
Tennyson Rd. Pet —3H **5**
Third Drove. Pet —3E **13**
Thirlmere Gdns. Pet —6G **3**
Thistle Dri. Pet —6C **12**
Thistlemoor Rd. Pet —4G **5**
Thomas Clo. Bret —2B **10**
Thoresby Clo. Pet —2C **10**
Thornemead. Pet —5F **3**
Thorney Rd. Eye —1H **7**
Thornleigh Dri. Ort L —1E **17**
Thornton Clo. Pet —6G **3**
Thorolds Way. Cas —3B **8**
Thorpe Av. Pet —3E **11**
Thorpe Lea Rd. Pet
—3G **11** (5A **22**)
Thorpe Meadows. Pet —3F **11**
Thorpe Pk. Rd. Pet —3E **11**
Thorpe Rd. Pet —3A **10** (4A **22**)
(in two parts)

Thorpe Wood Rd. Pet —4B **10**
Threave Ct. Pet —5C **10**
Throstle Nest. Far —4C **18**
Thurlaston Clo. Pet —3D **10**
Thurning Av. Pet —1C **18**
Thuro Gro. Ort G —4C **16**
Thursfield. Pet —5E **3**
Thurston Ga. Pet —4C **10**
Tilton Ct. Pet —3C **6**
Tintagel Ct. Pet —4D **10**
Tintern Rise. Eye —1G **7**
Tirrington. Bret —2C **10**
Tiverton Rd. Pet —2E **11**
Toftland. Ort M —2E **17**
Tollgate. Bret —6C **4**
Toll Ho. Rd. Ort L —6E **11**
Toll Rd. Far —2G **19**
Topmoor Way. Pet —2H **5**
Touthill Clo. Pet —3A **12** (3D **22**)
Tower Ct. Pet —5H **11**
Tower Mead Bus. Cen. Pet
—1A **18**
Tower St. Pet —5H **11**
Towler St. Pet —2A **12** (1C **22**)
Tresham Rd. Ort S —4H **15**
Trienna. Ort L —2D **16**
Trinity Ct. Pet —4A **12** (5C **22**)
Trinity St. Pet —3H **11** (5B **22**)
Troutbeck Clo. Pet —6H **3**
Tuckers Ct. Pet —6C **12**
Tuckers Yd. Pet —1C **18**
Tudor Clo. Pet —1G **5**
Twelvetrees Av. Pet —4C **2**
Twitten, The. Far —5C **18**
Two Pole Drove. Far —5F **19**
Twyford Gdns. Pet —4D **6**
Tyesdale. Bret —1C **10**
Tyrrell Pk. Pet —3D **12**

Uldale Way. Pet —1H **5**
Ullswater Av. Pet —1F **5**
Uplands. Pet —4E **3**
Upton Clo. Long —3C **10**
Upton Clo. Stan —2E **19**

Valence Rd. Ort Wa —3B **16**
Vegrette Rd. Glin —1B **2**
Vere Rd. Pet —4H **5**
Vergette St. Pet —1B **12**
Vermont Gro. Pet —4G **11**
Vetchfield. Ort B —2A **16**
Vicarage Farm Rd. Pet —2E **13**
Vicarage Gdns. Far —5C **18**
Vicarage Way. Yax —5B **20**
Victoria St. Old F —1H **17**
Victoria St. Pet —6A **6**
Viersen Platz. Pet —4A **12** (5C **22**)
Viking Ct. Pet —6D **12**
Village, The. Ort L —2D **16**
Vine Wlk. Pet —1E **11**
Vineyard Rd. Pet —3B **12** (4E **23**)
Viney Clo. Pet —6D **6**
Vintners Clo. Pet —2F **11**
Violet Way. Yax —2D **20**
Virginia Clo. Pet —3C **10**
Vixen Clo. Yax —3D **20**
VP Square. Pet —2F **13**

Wainman Rd. Pet —2F **17**
Wainwright. Pet —5C **2**
Wakerley Rd. Pet —6E **11**
Wake Rd. Pet —3B **12** (3F **23**)
Walcot Wlk. Pet —2C **10**
Walgrave. Ort M —4D **16**
Walker Rd. Glin —2B **2**

Walkers Way Ga. Bret —2B **10**
Walsingham Way. Eye —1G **7**
Waltham Clo. Pet —3D **6**
Waltham Wlk. Eye —1H **7**
Walton Pk. Pet —2E **5**
Walton Rd. Mar —2A **4**
Warbon Av. Pet —4H **5**
Wareley Rd. Pet —4H **11** (6A **22**)
Warwick Rd. Pet —2E **5**
Wasdale Gdns. Pet —1A **6**
Water End. Alw —2E **15**
Water End. Thor M —3F **11**
Watergall. Bret —3C **4**
Water La. Cas —4D **8**
Water La. Pet —1B **16**
Waterloo Rd. Pet —6A **6**
Waterslade Rd. Yax —5A **20**
Waterville Gdns. Ort Wa —2B **16**
Waterworks La. Glin —3A **2**
Watt Clo. Pet —1G **5**
Waveney Gro. Pet —1G **5**
Wayford Clo. Pet —3C **10**
Weatherthorn. Ort M —2E **17**
Websters Clo. Glin —1B **2**
Wedgwood Way. Pet —2D **4**
Weedon Clo. Pet —2H **5**
Welbeck Way. Pet —1F **17**
Welbourne. Pet —5E **3**
Welbourne Lea. Pet —5E **3**
Welland Clo. Pet —3A **6**
Welland Ho. Pet —2B **12** (2F **23**)
Welland Rd. Pet —4A **6**
Wellington St. Pet —3B **12** (3E **23**)
Wells Clo. Pet —6D **2**
Wells Ct. Pet —1D **18**
(off Lawson Av.)
Wells Ct. Stan —2D **18**
Welmore Rd. Glin —1B **2**
Wentworth St. Pet
—4A **12** (5C **22**)
Werrington Bri. Rd. Milk N —4F **3**
Werrington Gro. Pet —1D **4**
Werrington Pk. Av. Pet —6E **3**
Werrington Parkway. Pet —5C **2**
Wesleyan Rd. Pet —4A **6**
Wessex Clo. Pet —6D **12**
Westbrook Av. Pet —6H **11**
Westbrook Pk. Clo. Pet —6H **11**
Westbrook Pk. Rd. Pet —6H **11**
Westcombe Sq. Pet —1E **13**
West End. Yax —5B **20**
Western Av. Pet —4A **6**
Westfield Clo. Yax —4B **20**
Westfield Rd. Pet —1F **11**
Westfield Rd. Yax —5B **20**
Westgate. Pet —3H **11** (3B **22**)
Westhawe. Bret —4B **4**
Westmoreland Gdns. Pet
—3B **12** (4E **23**)
West Pde. Pet —2F **11**
W. Stonebridge. Ort M —2E **17**
Westwood Pk. Clo. Pet —2E **11**
Westwood Pk. Rd. Pet —2F **11**
Wetherby Way. Pet
—2C **12** (1H **23**)
Weymouth Way. Pet —5D **6**
Whalley St. Pet —2B **12** (1F **23**)
Wharf Rd. Pet —5G **11**
Wheatdole. Ort G —4C **16**
Wheel Yd. Pet —3A **12** (3D **22**)
Whetstone Ct. Pet —4E **7**
Whiston Clo. Pet —1H **5**
Whitacre. Pet —5E **7**
White Cross. Pet —5D **4**
Whitewater. Ort Wi —1H **15**
Whitsed St. Pet —2B **12** (1F **23**)
Whittington. Pet —4F **7**
Whittlesey Rd. Pet & Stan —6B **12**

Whitwell. Pet —1A **6**
Wicken Way. Pet —5E **5**
Wilberforce Rd. Pet —4H **5**
Wildlake. Ort M —2E **17**
Willesden Av. Pet —3F **5**
Williamson Av. Pet —2G **11**
Willonholt. Pet —5E **5**
Willoughby Ct. Pet —4E **7**
Willow Av. Pet —4B **6**
Willow Hall La. Thor —2H **13**
Willow Rd. Yax —3E **21**
Willows, The. Glin —1B **2**
Wilton Clo. Pet —1E **11**
Wilton Dri. Pet —1E **11**
Wimborne Dri. Pet —4E **7**
Winchester Way. Pet —4G **11**

Windermere Way. Pet —6G **3**
Windmill St. Pet —6H **5**
Windrush Dri. Pet —2H **5**
Windsor Av. Pet —3E **5**
Windsor Dri. Pet —1D **18**
Windsor Rd. Yax —3D **20**
Wingfield. Ort G —5B **16**
Winslow Rd. Pet —2E **11**
Winston Way. Far —5C **18**
Winwick Pl. Pet —6E **5**
Winyates. Ort G —4B **16**
Wisteria Clo. Yax —5B **20**
Wisteria Way. Pet —6F **3**
Wistow Way. Ort Wi —1G **15**
Witham Way. Pet —2H **5**
Woburn Clo. Pet —4C **10**

Wollaston Rd. Pet —5E **5**
Woodbyth Rd. Pet —5A **6**
Woodcote Clo. Pet —4A **6**
Woodcroft Rd. Mar —2A **4**
Woodfield Rd. Pet —2F **11**
Woodhall Rise. Pet —3D **2**
Woodhurst Rd. Pet —1D **18**
Woodlands, The. Pet —6D **6**
Woodpecker Ct. Pet —1A **6**
Woodston Ga. Pet —1F **17**
Woodston Ind. Area. Pet —1G **17**
Woolfehill Rd. Eye —1F **7**
Woolgard. Bret —3C **10**
Wootton Av. Pet —1H **17**
Wordsworth Clo. Pet —3G **5**
Worsley. Ort G —3C **16**

Wright Av. Pet —2E **19**
Wulfric Sq. Bret —3E **5**
Wycliffe Gro. Pet —3C **2**
Wye Pl. Pet —2G **5**
Wykes Rd. Yax —5B **20**
Wykes, The. Yax —6B **20**
Wykes Way. Yax —6A **20**
Wyman Way. Pet —2B **16**
Wyndham Pk. Ort Wi —1H **15**

Yarwell Clo. Ort L —6F **11**
Yew Tree Wlk. Pet —3C **10**
York Rd. Pet —5H **5**